文治
© wénzhì books

更好的阅读

新100个基本

自我更新指南

〔日〕**松浦弥太郎** 著

冷婷 译

しごとのきほん
くらしのきほん
100

九州出版社
JIUZHOUPRESS

目录

100 个工作基本

100 个生活基本

100 个工作基本

上一本书《100个基本》出版之际，我正在《生活手帖》担任总编辑。每天制作《生活手帖》时，我都会忘我地思考什么是必要的事、不必要的事、应该做的事、不该做的事，有哪些该学的东西、该改善的地方、该挑战的事、该发明的东西。

经历过成功与失败后，以"生活手帖制作手法"为名，我边思考边将那些确信的基本点及重点收入笔记。

就这样日复一日，经过3年的积累，记录的重点累积了100个。

就在那时，我突然发现其实工作也是生活，生活亦是工作，我试图推翻以往把工作、生活分开思考的自己。

此外我还意识到，无论工作还是生活，我们使用的都不单是大脑，更有心，用心享受，才能学习更多东西。由此，"生活手帖制作方法"也渐渐转型为"工作的基本"。

所谓工作的基本，也是生活的基本。所谓生活的基本，同样是工作的基本。这是我记录"工作的基本"时意识到的道理，不，应该说是发现、学习到的新知。

2015 年 4 月，我转职进入 IT 企业 Cookpad公司，因此也获得了更多面对工作及生活基本的机会。为了迎接今后更多的挑战，我想重新整合"工作的基本"。

如果我的某一发现对你的工作、生活起到了一定助益，这是我的荣幸。若你能以本书为契机，思考、记录自己的"工作的基本"，那我更会不胜欣喜。

基本是最愉悦的，同时也是要反复磨砺的东西。与此同时，基本总能时刻帮助我们克服艰难险阻。

100 Basics of the Work

Basic Notebook
of
Yataro Matsuura

001

每天更新一下自己。

让我们培养"今天更新什么"的意识吧！创意也好，整理也好，每天增加一条"创新"。毕竟创造前所未有的东西是再美好不过的事，但如果轻易懈怠就会与"创新"渐行渐远，最后只是一味反复做该做的事，无法成长。随着年龄的增长，专业能力的增强，更该如此。"每日一新"的意识可以帮助我们刷新自己。

002

用新的视角，检视谁都知道的事。

对每天的工作而言，发现、发明、新的巧思是非常珍贵的要点。但有一点要谨记于心，越是谁都明白的事，才越是具有挑战性的课题。正因为谁都明白，这件事才不会旧。万物皆有无限新可能，在众所周知、理所当然的事中，往往藏有"大家想要得到、想要知道的东西"。尝试透过全新的视角，检视那些平凡的事吧！

003

享受独一无二。

在我看来，大家都认为"理所当然""一致赞成"的行为很无聊。肯定正确的事、大声责备错误，对此大家习以为常了。然而，相互展现彼此的不完美、独一无二及独有的个性，不是更有利于创造深厚的友谊吗？无论人，还是商品，如果缺乏趣味，就失去了吸引力。在"认真好好做事"的同时，流露些可爱的独一无二之处，我们将其称为魅力。

004

力求简单、单纯。

人们认为具备复杂功能的东西很厉害，认为夹杂复杂措辞的话语可信度高。事实真是如此吗？复杂带来提升品质的错觉，让人误以为耗时越长、品质越高。但不画蛇添足才是重中之重，我们该思考的是"别做什么"，而非"该做什么"。简单、单纯的事物更容易与人分享，即便出现故障，也能顺利修复。

005

看似简单的事，才是最难的。

对待没有变化、看似简单的事，尤其需要谨慎为之。"简单＝廉价""简单＝毫无价值"之类的概念容易蒙骗双眼。越是简单的，越是深奥。原本错综复杂的东西就是诸多智慧与力量的结晶，而结晶乃简单之物。因此，请牢记"看似简单的事，才是最难的"这一哲理。

006

从容，方能提高品质。

提高品质有两大条件：从容的时间和从容的心态。常被催促，一味拼命处理手头之事，最后压根儿无暇顾及品质。当时间和心态变得从容，考虑会更周全，功夫也会下得更深。100% 完成后，就可以把目标提高到 120% 或 150%。为了从容，请放轻松。与其盲目地和时间赛跑，不如未雨绸缪，巧妙驾驭时间。

007

不要机械工作，注意多观察人。

无论从事怎样的工作，都请以"人"为本。为了那些近在眼前或身在他处的"人"，充分发挥智慧。接待客人的服务业自然不在话下，但其实所有行业都在和人打交道。创造的新产品与人如何产生联结，如何透过改善这一联结，进而创造出升级的产品？生产、待客、改进，重复这三点是工作的基本。只要明白"工作的最终服务对象是人"，就会知道自己该怎么做。

008

永远从零开始。

迄今为止掌握的学识、验证过的东西，是我们珍贵的财产，可以把它们潜藏在隐秘之处。处理新事物时，如只凭以往经验去做，那将无法创新。尽管经验可以替我们保驾护航，让我们收获高效、完美的工作成果，但做出来的东西只会中规中矩。唯有不怕失败、积极挑战，才能习得、深入、拓展、催生出新意，让我们一次次品味从零开始的幸福吧！

009

不复制过往的成功。

人有时会突然觉得"事情的进展似乎一帆风顺"，这时特别需要停下来，注意确认自己是否在复制过往的成功。之所以这样说，是因为过往成功的套路会阻碍未来的成功。模仿自己和做自己是两回事。即便尝试前所未闻的新挑战，因为挑战者是你，旁人仍会评论说"这就是那个人的作风"。正因如此，尝试的过程也是在做自己。

010

不依赖先例。

思考问题、启动项目，以及下决定时，你会不会习以为常地想要查看"之前是怎么做的"？而事实上，先例纯粹只是先例，既不是准则，也不是样本。如拘泥于先例，挑战便会受限，做出来的东西只会是在已有事物的基础上进行的局部改变，甚至以自我模仿而告终。

011

先推敲再假设。

凡事请先思考"为什么",然后发挥想象进行推敲,最后假设"要是这样做可以吗"。如果有了"最坏可能性"的假设,精神会放松很多。哪怕中途临时有变,也能立即采取应对措施。有时我们会遇到毫无准备就上战场的特殊情况,但如果能抱着"先试试看"的想法积极面对,那便是迈出了崭新的一步。

012

思考时不妨读点儿东西。

"思考"，看似简单，实则很难。即便独自一人找个僻静的地方思考，也总会被一些杂念扰乱思路，这时就来看书好了。因为沉浸在书本的世界，聚精会神地阅读，能帮助我们集中注意力。当眼球完全被文字吸引，可试着突然跳出书本，开始思考。如感觉疲劳，不妨再捧起书本。以这种往复的方式，学会在阅读与思考间切换。一旦习惯这一模式，哪怕只是将书本放在膝盖上，也能提高思考效率。

013

大量阅读，反复阅读。

"不管怎样，姑且看书"是基本中的基本。可以徜徉在字里行间，反复阅读同一本书，也可以积少成多地大量阅读。阅读，是件看似被动，实则积极有所助益的事。它是一种人生模拟体验，人不阅读就会退化。阅读，是一项锻炼自己驾驭情况、做出精准客观决策能力的训练。迷茫时、不安时，尝试读一本书吧！

014

用文字记录灵感。

灵感，是比轻轻飞舞的羽毛更难抓住的东西。偶然间在脑海浮现的灵感及想法，不管多么出色、完美都是抽象的。闪现然后消失，消失继而闪现，灵感以快速回转的方式在空中徘徊。为了不让它飞去别处，可以用文字记录灵感及想法。一旦写在纸上，灵感就能可视化。至于工作该往哪个方向推进，也同样变得更具体。

015

时常将下一个计划放入口袋。

虽然现在的工作很重要，一旦投入就要以之为中心进行处理，但请不要把所有的精力都耗费在这上面。工作的同时，不妨思考下一个计划。即便正在竭尽全力处理别人委托的事，也该抽空推敲下一个计划。为了能随时随地快速给出计划，最好事先把它们藏入口袋。假如口袋里装满了新计划，那无论遇到怎样的机遇，想来你都能从容应对。

016

每天都要播种。

工作，就是把今天一天用来生产。实现什么、完成什么、创造什么，这些都建立在对"工作清单"了如指掌的基础上。与此同时，也要记得播种。要想每天都有所收获，那就必须播种。即便是当下仍不成熟的东西，或者不确定能否派上用场的东西，都请稍微下点功夫。为了将来的大丰收，请坚持每天播种，好好做投资。

017

不要被准备好的东西拘束。

虽然准备很关键，但被其拘束就有待考量了。要记住，一切工作都是为了服务的对象。有时以年轻人为预想基础准备好的企划案，说不定实际服务对象以中老年人居多；有时打算找女性谈生意，可负责人却是位男性。即便发生这类状况也没关系，不妨试着先通读一遍准备好的原稿，不过不要被其束缚，在原稿的基础上随机应变就好。反言之，为了能随机应变，请多准备些方案。

018

不要只看结果，也要确认过程。

看记分牌只能帮助了解比赛结果，不能让人立马明白比赛内容。工作亦是如此，请不要只通过结果就断定"这个是那样""这个不错""这里必须修改"。在最终结果出来之前，去场上看看到底是怎么回事。如果没有目睹现场，那一切只是纸上谈兵。

019

认真面对。

面对每件事物时，所见所闻所感都会因对待方式的不同而不同。是正面相对，还是稍微偏点儿方向，抑或是抱着旁观的心态？正因为面对的角度可以自由调整，人们才会常常在不知不觉中偏离应有的位置，请注意从正面、实实在在地和对方面对面。如果以潦草的态度随意应对，或许会给对方带来不安，甚至无形中伤害到对方。

020

前进就该一步一个脚印。

上楼两阶并一阶会上得更快，轻松跃过好几阶会显得很酷。虽然这种心态很普遍，但多半是错的，因为前进就该不慌不忙，一步一个脚印。企图跳跃、省略的心态都是要不得的，踏踏实实忍耐着前进吧！无论学识还是经验，积累的前提都是踏踏实实的每一个脚印。

021

"三项准备"，让自己不失败。

如果不想失败，就不要忘记以下三项准备。第一，决定并确定计划；第二，认真准备，反复检查；第三，尽早开始，先发制人。如此做好准备后，一旦开始实施就要认真谨慎，细致入微。或许看完你会觉得"啊，原来只是这样啊"，尽管都是些基本的准备工作，但坚持遵守这一原则并不容易。正因如此，今天就来做以上三项准备吧！

022

把"改善"当成一种工作。

就算当下把自己的所有事都处理到了"极致",也不代表可以就此收工。请注意持续改善，培养和修正不足。如能不断改善，"极致"的水准将随之提高，心态也变得更从容，创意自然更易实施。

023

从倒计时开始。

没有期限的工作不叫工作，不管别人有无设定截止日或交货期，都要主动给自己设定一个期限。确定合适的日期后，从那天开始倒计时，筛选该做的事。在充分考虑"做这件事需要多少天"的基础上设定期限的做法也是值得推崇的。一旦时间轴清晰可见，思考、行动也会变得高效起来。

024

不说"姑且这样"。

即便是微不足道的事，如果能坚持不说"姑且这样"，我会觉得很了不起。所谓的"姑且这样"，就是虽然不是最满意的，但无奈想不出最好或更好的方案，给人一种消极的印象。大到会议结论，小到点杯饮料，无论什么事，都请改掉用"姑且这样"而收尾的习惯吧！

025

快速回复会带来好运。

请将"尽快回复"列为工作之最大原则。为了成为反应迅速的敏捷者，平时就开始调整自己吧！"考虑一天后再给答复"的行为很容易错失机会，因为好运与良机是紧密相连的，快速回复很关键。

026

警惕集体意识。

常年待在团队里，判断事情时常常需要双重过滤，一重来自自己，另一重来自公司，而"自己认为可行的事，从公司立场判定不可行"的情况也时有发生。尽管团队协作很重要，但与此同时也不能舍弃自己的判断标准、随波逐流。就算阐明的意见没被采纳，最终必须服从安排，但至少不会给自己留下遗憾。

027

销售自己。

工作的重中之重在于提高自己的信用、发现属于自己的价值。无论制作什么东西、处理什么事务，还是销售什么商品，都是这样。"卖东西之前，请先推销自己"，这句话确实很在理。如能博得对方的信赖，不管怎样的工作都会一帆风顺。

028

认真的前提是积极。

如果你常鼓励自己"不管怎样都要认真"，那我劝你还是再斟酌下为好。所谓的认真，它是有标准基础的，它凝聚了我们的智慧、功夫、能力及努力。虽然不知要做多少妥协，但工作总能挖掘你的新价值。其实，我们也无须立刻埋头于"认真"这一界定里，积极迈出第一步才是一切的起点。

029

不排斥数字。

不知你有没有说过类似"对数字反应迟钝""不擅长计算"的话，有很多人因不擅长而拿这些话做逃避责任的挡箭牌。然而，与人共享信息时，数据化是个非常必要的手段。尽管有很多事无法以数字衡量，但也会有很多事因用上数字而变得一目了然。无论多么不擅长，都请不要排斥数字。

030

不躲避重任。

如果责任随着年龄的增长而增多，人的负担就会变得越来越重。这种状态下，遇到明显棘手的事，就可能因为"不想解决"而逃避。可一味躲避重任的话，就会成为一个身无重负的人。人若只背负少许压力而活，不仅能力会衰退，还会不求上进，最后沦落成一个孤陋寡闻的肤浅之徒。或许不躲避重任会加重你的负担，但也证明你不是个扛不起重任的人。

031

不要说"做不到"。

回答"做不到"，就像是用漆黑的尖头万能笔严严实实遮住"说不定能做到"一样，可能性被完全否定掉了。被分配了极具挑战性的工作时，请在回答"做不到"之前，尝试思考"要怎样才能做到""何时才能做到"。在深思熟虑的基础上，再说出答案。之所以提出这样的建议，是因为一旦直言"做不到"，今后就不会有人再来委托工作了。

032

不给自己设限。

尽管了解自己的容量很重要，但容量与界限是两码事。如同物理时间、体力、拥有的事物及打交道的人一样，我们要了解并保留自己的容量界限。可是一旦给能力设限，能做到的事也会变得做不到。应该把容量看作大人，把能力看作发育期的小孩，这样才能取得良好的平衡。

033

先别着急发牢骚。

遇到问题时，人很容易立马摆出防御的姿态，和问题保持距离，接着发牢骚"我为什么这么倒霉""原因不在我身上"。牢骚原本就是想说就说的东西，更何况有些牢骚也很正当、很合情合理。但是，发牢骚不能解决问题。遇到问题时，请主动面对吧！在问题被解决之前，请紧闭双唇，先别着急发牢骚。

034

别期盼太多。

如果贪婪地什么都想要，就势必会为了得到这些东西而付出多余的投入，不停地勉强自己。或许有时能如愿得到很多，但大部分仅仅是些暂时的东西，这些因贪婪而拼命得到的东西最后只会变得华而不实。因此，不要抱有超越能力范畴的期盼，让我们活得踏实些。

035

小心一石二鸟。

一想到能"一石二鸟"，人往往就会做出先别出手的决定。这既是一种方法策略，也是一种保护自己的智慧。面对具有双重机会的东西时，如切换成具体场景，那一石二鸟就如同是"同时抓住两边，且不被人责备"。但在我看来，双重机会说不定是上帝安排的试练。一石二鸟带来的收获顶多也只是二鸟，而通常格外成功的人都懂得谦恭地只抓一只鸟。

036

了解自己的"甜蜜点"。

工作中不存在所谓的百发百中，所以不要投出所有的球，取而代之的是该了解自己的甜蜜点[1]。在做一件事之前，先判明这件事是不是自己擅长的、是不是对社会有所助益的、是不是迎合对方期待的事，然后再精准地投球，击中目标。如果勉为其难地表示"我什么都能干"，那也就意味着在宣称"我什么都干不了"。

1　甜蜜点：源自高尔夫球专业用语，原意是高尔夫球杆的杆头上击球最有威力的点。每一支球杆的杆头，都有一个最适合用来击中球的最佳落点，能与球碰撞出最为"甜蜜"的美好感受，因而被称为"甜蜜点"。——译者注

037

研究失败。

大部分的失败都会自然而然地消逝，不了了之。换言之，那些明明做过但没完成的事会渐渐从我们的视野消失。可就此忘记失败的话，今后免不了还会在同样的事情上受挫。因此，请认清失败这一结果。如果能寻找出失败的原因，并以此为戒，下次就不会重蹈覆辙了。比起分析成功的原因，不如好好研究失败的原因，更能提高成功率。获得成功的人也都是善于研究每一次失败的人。

038

开始重要，收尾亦然。

有些人明明记得打招呼说"你好"，却忘记告别时说"再见"。也就是说，重视开始，敷衍收尾的情况时常可见。开始确实很重要，但收尾也同样关键。如果是会议，我们需要在收尾时得出结论；如果是工作，我们需要在收尾时有所了结。请多留心收尾，不要让事情自然而然地淡化至消失，而该有始有终地给它画上句号。

039

敢于提问。

如果不懂，那就去问。即便是自己知道的事，也可以多问。你若谦虚坦率，对方定会知无不言，言无不尽。随着年龄的增长，更要多问。所谓提问，既是向人学习的桥梁，也是提高工作质量的秘诀。所有工作都是以人为本，所以答案就掌握在这些人手中。日常工作中，比起仅凭自身所知去创造，不如多向人请教，因为后者会给你带来更多收获。

040

和专家做朋友。

我们常会被委托处理一些很专业的事，但在这些事面前，无论怎么努力，自己就是无法完成！这时，该做的不是铆足劲儿埋头苦干，而是向拥有该领域丰富经验的人求助。通过紧密交流，情况紧急时请他们伸出援手，借助他们珍贵的智慧及能力。换言之，从平时就该注意多多结交律师、系统工程师、专业看护等各类专家，必要时他们能成为强大的后援。

041

欢迎局外人插嘴。

"这件事与你无关，请别过问""什么都不知道的话，请别插嘴"，当这些话说出口，是否意味着手上的项目正处于停滞状态？其实与项目毫无关联的局外人往往能提出客观、重要的观点，正因为有了这些既无成见又无经验束缚的意见，创意才得以多元化，企划才得以立体化。请学会倾听局外人的坦率意见，让自己做起事来游刃有余。

042

写计划、画地图。

如果去登山，通常会事先拟定行程表，画好地图，其实生活也需如此。把手头事务形象化，预先亲自确认是非常重要的环节。无论旅行、整理，还是学习，都尝试着把启动的项目写在纸上。大致厘清计划类型，在此基础上思考循序渐进的步骤，也就是所谓的"地图"。脚踏实地地梳理写好的东西，将步骤调整到自己的能力范围内。

043

不过分依赖人脉。

我感觉"不管怎样，名片越多帮助越大"的时代已过去，过分拓宽人脉只会导致关系网空洞化，所以让我们清理掉那些"没法将人与名片对号入座"的名片吧！或许你认为这些名片是为了未雨绸缪，但现在是个人与人能轻而易举获得联系的时代。就算到了需要派上用场的时刻，也会有很多取得联系的方式。

044

看完报纸，请折叠好。

当报纸成为旧报纸，便不会有人看了。可哪怕是自己看完的报纸，如果还有第二位读者，那它就是崭新的报纸。不管什么事，当我们做完，后面还将会有其他继续做这件事的人。为了让下一位读者阅读愉快，无论在公司、在家，还是在酒店大厅，都请将报纸整齐叠好放回原位。以此为例，扔垃圾时多考虑收垃圾的人，用公厕时多考虑下一位使用者，相互体谅，不给他人增添麻烦。尽管只是些细碎的琐事，但请别忘记。

045

没有与己无关的事。

人一旦陷入繁忙，就会无暇关心周围的事。即便感到讶异也会选择视而不见，最后以"和我无关"为由置之不理。假如这种状况反复发生，那自己的世界就会被封锁，并且变得越来越小。在这世上，不存在与自己毫无关联的事。人不管做什么事、带来怎样的影响、完成什么工作，或多或少都会得到他人的帮助。既是如此，倒不如积极和他人共筑关系，你会发现自己的步伐越来越轻盈。

046

沟通方式要有趣、有美感。

工作是交流的一种，如果传达时仅追求要事要点，效果不会令人满意。与人沟通时，请时刻注意要有趣味。哪怕写同一封商务邮件，也有可能因加入一小勺的独特性而变得意味深长。对企划书而言，内容是头等重要的，但如果版面设计不够一目了然、文字语言不够精美，那内容也将难以传达。人，总会被有趣的事物、优美的事物所吸引。所以，无论文字还是对话，都请使用有趣、有美感的沟通方式。

047

像做连环画剧[1]一样做假设。

做假设时不妨参考连环画剧的方式，通过判断用手绘图及备忘笔记组合而成的连环画剧是否有趣，来进一步探索假设能否成立。换言之，借由连环画剧推敲假设的起承转合。第一张的主题是"启动项目"，第二张是"启动后该做的事"，第三张是"意料之外的事"或"会牵扯到谁"，第四张是结果。通过连环画剧这一形式，假设不仅能得到深度理解，还非常便于向人说明，让项目变得井然有序。

048

掌握"报·联·商"的信息分享术。

虽然每个人都是独立的，不一定要相互依存，但大家可以协作，朝相同的方向前进。在日常工作中，大部分的工作都是以团队的方式进行，而团队的工作模式正好就是成员一起协作。因此，请记得把手头的信息分享给周围的人吧。为了不让其他人因不了解情况而感到不安，请先学会"报告"；为了不让其他人因被撇下而感到不悦，请先学会"联系"；为了不让其他人担心，请先学会"商量"。总而言之，"报·联·商"是一种出色的信息分享术。

049

先思考再发言。

你会只想不说？还是会只说不想？在不清楚自己到底要表达什么的情况下，贸然挑起话题的行为有失礼仪。无论是工作指示、联系，还是报告、提案，都请先自觉梳理清自己想要表达什么，做好准备后再发言。

050

别"只顾自己方便"。

你会不会分明知道对方找自己所为何事，也分明明白对方当下的心情，却以"自身不便"为由不伸出援手呢？工作中，我们不可能不计回报地竭尽所能，而过剩服务又会带来不良后果，商场就是如此严苛。此外，金钱、时间、公司亦是如此，所以，才更应该优先考虑对方。若将对方置之不理，就会变成完全只考虑自己。请站在对方的角度多想想，创造双赢的工作环境。

051

有事求人的同时要有被拒绝的觉悟。

在拜托别人事情时，需预留出被对方拒绝的余地。首先，不说类似"请助我一臂之力"的只顾自己的话。其次，给对方空出婉拒的台阶。虽然很难做到，但这是交流的礼仪之一。如果因为对方拒绝眼前的事而导致双方关系不融洽，那就是本末倒置。因此，若有事求人，不如多发挥想象力，以七分热情、三分体贴的心情和人交流。

052

制作连小学生也能看懂的图表。

制作图表时，把"连小学生也能看懂"作为口号吧！工作中，由数据、资料组合而成的图表随处可见，只要有电脑，就能做出高水平的图表。绘有华丽图表的资料不仅美观，做完后人的成就感也会高涨。但这些图表真的能让人一目了然吗？为什么用废弃的打印纸手绘出来的曲线图，有时反而更加简洁明了？美观与品质是两码事，首要该考虑的是站在看图者的角度制图。

053

通过故事解释动机。

动机是驱使我们不断前进的引擎。如果无法解释清楚"为什么要这样做",即所谓的动机,就无法与别人一起前行。既然如此,我们就用讲故事的方式解释为什么要这样做吧!为了项目启动时不出错,建议连背景也一同说明清楚。此外,想要打动人不能只罗列要点,带有思想和情感的动机才能传达得更清楚。

054

像搭讪一样写文章。

写文章的技巧在于忘记什么叫"得心应手"，我们无须追求打造美文或使用复杂的措辞，就像和人搭讪一样，充满关怀与亲切、让人一目了然的文字才是首要的。另外，"众所周知"这样的词语是忌讳。写文章时，不妨在脑海中联想有哪些人会阅读这篇文章，然后像当面搭讪一样书写文字。

055

安装"齐心协力"的按钮。

对工作而言，全身心的投入及不推脱责任的心态非常重要，大家相互尊重彼此的立场，互不干涉，但不关心他人工作及周围状况的态度是不可取的。建议各位在心里装个名为"齐心协力"的按钮，一旦需要，随时启动。

056

发现美。

在这世上，存在很多美好的事物，而能否发现这些美，就因人而异了。无论出色的事物、美丽的事物，还是愉快的事物，都请积极发现吧！工作伙伴的夹克衫也好，日常工作的某一部分也好，只要是能吸引我们眼球的东西，都可以去发现。通常善于发现美的人，都善于赞美。如果发现了美，不妨通过语言分享给大家。

057

批评要简短有力。

不被批评，人会不安；被狠狠批评，又会消沉受伤，人心就是这样脆弱。如果你有晚辈或手下，不妨坚持每天给他们一次提醒或建议。不过值得注意的是，为了不伤他们的自尊，请使用简短、能让对方感到安心的言辞，例如"要认真看噢"。

058

清楚地表达你的称赞和认同。

无论工作伙伴、上司、手下，还是团队同事，只要是共事的人，都请先发掘、褒奖对方的优点，赞扬对方正在做的事，赏识对方过往的业绩及成就。不管是称赞的话，还是认同的话，都要清晰地表达出来。这既是团队合作的秘诀，也是处理人际关系的基本原则。无论是谁，只要听到这些赞赏的话，一定会瞬间精神抖擞。

059

说出对方的名字。

和人说话时，注意把对方的名字加入对话。无论客户，还是亲密的同事，都请边称呼对方的名字边推进话题。之所以这样做，是因为对初次见面的人而言，对方会因为我们记住他（她）的名字而高兴；对熟识的人而言，对方会有种完全被认可的感觉。比方说，"还真是的呢，某某某"，只需这样将名字自然地插入对话即可。能为别人带来愉悦，是成年人的一种交际礼仪。

060

拓宽幸福的范围。

工作，就是从某人那儿获取重要的余钱。与此同时，也请开动脑筋让别人开心地认为你"非常体贴"。设计商品时，请发挥想象力，多思考这是否真的是人们需要的东西。"User First"（顾客第一）这句话是职场人士的护身符，而所谓的顾客优先，就是拓宽幸福的范围。如果只求自己幸福，那会很乏味；如果只求亲友幸福，那会很寂寞。在我看来，给社会传递幸福才是工作的一大乐趣。

061

选择正确的方法。

思考该选哪种方法时，我常扪心自问这是正确的方法吗？虽然很难精准判定哪个才是正确的，但我们可以尝试从不同的角度来审视，检查选择的方法是否只给自己提供了便捷、是否优先了自己、是否有利己主义的因素在里面。如此一想，那判定方法是否正确的标准或许就是看它是否也能惠及他人。

062

思考对方需要的"价值"。

建议大家把"我能贡献什么给与我打交道的人"作为工作的原则，思考对方需要怎样的"价值"，并将这一"价值"视作自己的目标。既不是"Give and Take"（相互忍让），也不是"Fifty-fifty"（平分为二），一味追求回报的行为是错误的，无欲无求、积极付出后孕育出的强大力量才是让每件事成功的要点。

063

搭建"与人为善的城堡"。

高举策略、理念、主义大旗的人，往往会给自己建一座城堡，与世隔离。虽然独立思考很重要，但太过拘泥正确与否，被作风束缚，片面否定不同意见的话，与人的交集就会一点点变少。孤独是人与生俱来的宿命，而孤立是人切断与他人羁绊的自发行为。孤立的末路，通常都是悲剧。

064

别急着下结论。

在自己认为是白，对方认为是黑的情况下，即便事情得以解决，交流的目的也不算达到。无论工作还是人际关系，都不会因为一句话而完结。就算现在黑白分明，下次也有可能黑白交错。不是所有事都能依自己的想法去做，如果逞强，无论输赢，都会精疲力竭。明白"别急着下结论"的道理，发展出新知，谈话也会变得有意义。

065

敌人亦是朋友。

如果遇到像敌人一样攻击、否定你的人，请记得珍惜，因为"敌人亦是朋友"。敌人会刺激我们，带给我们新知，告诉我们真相，甚至令我们振作。不要躲避敌人，正因为有敌人这一存在，我们才得以学习、成长。

066

重视批评和反对的意见。

如果你一直以来都认为自己很"优秀"，那一定很难接受批评和反对意见。然而，如果你想从"优秀"变得"更优秀"，就得拿出勇气接受它们。即便过程很痛苦，即便备受打击，也不逃避。因逆耳的话里包含很多事实与真相，潜藏让我们成长的启发。反之，有些褒奖免不了会夹杂些善意的谎言，夸大你的成果。

067

没有可以一个人完成的事。

年轻时，或多或少会有什么都自己一个人来做的想法，误以为什么都可以靠自己。然而经过时间的验证，会发现"其实根本没有可以凭一己之力完成的事"。这种想法会让人变得只顾自己，不顾其他，甚至遇事强加于人，不愿主动倾听他人的想法和心情。不借助他人力量而独自存在的人是不存在的，这一事实还请大家认清。

068

坚持做分享信息的源头。

自己去发现、自己去努力、自己去发表，这三点是创造"自我价值"的基本姿态。不管有没有玩社交网站，一旦从个人经历中有所体悟，都请迅速拿出来分享，积极和他人进行交流。现在是信息膨胀的时代，我们收集到的信息、绞尽脑汁做出的努力、慷慨激昂的提议，都将成为珍贵的第一手资料。

069

不道听途说。

"大家都说好"中的"大家"是谁？"好多人都很困扰"中的"好多人"是多少人？那些偶然间听到的信息及网络谣言，说不定只是少数人的声音，仅凭气氛或感觉便开口发言的行为是很危险的。为了显得有说服力、为了假装很精通，不假思索地散播道听途说的消息只会让误解越传越广。因此在扩散信息前，请仔细斟酌信息是否准确。

070

收集信息时以人为基准。

在有限的时间收集信息时，"以人为基准"是重点。选择资料时参考信得过的人的意见，例如"经济类话题就选 A 报纸""环境问题就看那个人的网络报道"。在信息泛滥的现代，我们不可能浏览所有信息，也很难确认哪条信息是对的、哪个是错的。正因为这样，才要思考、判断"关注谁的发言能对我有所助益"。

071

说话时以"我"为主语。

和人讨论项目或社会新闻时，请以"我"为主语抒发意见，例如"我是这样想的""我尝试做过那件事"。在这个信息丰富，且很容易采用各种人意见的时代，述说诸如"……是……的意思"的话时，常常会在不知不觉中省略主语。而与此同时，听者也会陷入"这是你的意见，还是报纸上登的意见"的混乱。此外，说话加上第一人称，可以产生更多信赖感和责任感。

072

了解被世人点评的事。

食物、商品、服务、文化、技术，无论有无兴趣，都该了解世人对这些东西的评价，因为这也是你工作的基础知识。只有了解了现在的水准是这样的，才能把它变成工作的灵感，以此提升工作热情。虽然深挖很辛苦，但想要全面了解，报纸是很好的信息来源。另外，和朋友聊天也是一条不错的途径。

073

尝试怀疑那些引人注目的东西。

那些商店门口堆积如山的新产品、应接不暇的广告节目、热闹非凡的网络话题，全都是能立马吸引眼球的东西，在面对这些东西时，先别一股脑儿地接受，建议大家试着用怀疑的眼光进行审视。当然，这不是让你认为它们都是骗人的，而是培养深层次分析的兴趣，例如"为什么大家对这个有兴趣""为什么它能成为话题""这东西有何厉害之处"。也就是说，要用科学家的钻研精神细细观察。

074

睡前想好"明天的穿着打扮"。

晚上睡前，如果能先确认第二天的日程，我会睡得更安心。比方说第二天有重要的会议，那就在睡前好好了解下着装的注意事项，因为第二天清晨临时了解的心情与前一天提前了解的心情截然不同。即便只是去公司上班，"今天要见客户"的穿着打扮也和"今天在办公室桌前办公"不一样。因此，睡前若能确认好日程，躺下思考明天的穿着打扮，即可确保第二天收拾妥当，快速出门。

075

舒适地度过清晨时光。

一日之计在于晨，很多人喜欢追求效率，从清晨就开始忙碌。有时我也会想去跑步或学习，但立马还是决定什么都不做的好。建议大家和我一样，把什么都不做视作理所当然，舒适地度过清晨时光。哪怕早餐只有面包、咖啡，也不妨悠闲地享用。另外，也可以和家人聊聊天，发呆沉思或写点儿什么。每天清晨舒适地度过一小时，会比多睡一小时更令人放松。巧妙运用一小时，激活你的一整天。

076

重要的事在上午处理。

很多时候，成功人士及优秀的人会异口同声地建议："请在上午处理好重要的事"。说的人多了，俨然成了真理，请大家铭记于心。究其原因，因为上午人的注意力集中，下午因身体疲劳，决断力会下降，所以重要的事请在上午处理好。随着年龄的增长，更该遵守这条原则。

077

拥有一处自己的避风港。

人都会需要一个养精蓄锐、让自己冷静的地方，都会需要一个能细细沉思、充分放松的地方，不论是自己的家、公园的长椅、书店，还是咖啡厅、散步小径，都请给自己找一处"避风港"吧！人，并非顽强的生物，偶尔在自己的避风港发发呆也很好。

078

不降低标准。

如果经常光顾的、冲得一手好咖啡的店给我上了一杯味道一般的咖啡，我想我会很失望。商店、工作、人，全都拥有各自的标准，而保持一定的水准才是专业人士的表现，难道不是吗？不降低现在的水准，努力尽可能更上一层楼。降低有时或许能让人变轻松，但与此同时也失去了乐趣和挑战。

079

为了不请病假而坚持不懈。

工作是每天都要做的事，它有一直持续的意义。因身体不适而请假的行为，属于非本意的中断。正因如此，注意身体也是一份重要的工作。为了不请病假，请坚持不懈地保养好身体。从长跑、短跑、瑜伽、早睡早起、良好饮食习惯等方面着手，培养适合自己的健康习惯，做到每天坚持。

080

休息也要讲究"品质"。

和高品质的睡眠一样，这世上也存在高品质的休息方法。严格意义上来说，身穿睡衣一天无所事事的状态不算休息。人的生活节奏一旦被打乱，身体也必定会不适。对上班族而言，因玩过头导致周一请病假的行为已是出格。即便休息日，也请早起更衣，三餐不落，晚上早睡，让身心保持轻松愉悦。最后再强调一遍，"散漫"和"休息"完全属于两种不同行为。

081

尝试改变看待事物的视角。

当工作遇到瓶颈，停滞不前，不如改变下自己的视角。具体说来，就是不再以项目负责人的角度审视问题，而是站在兼职者的角度、上司的角度、社长的角度、顾客的角度、老幼者的角度思考问题。视线可以是仰视、俯视、平视、斜视，只要勇于尝试改变视角，总能发现打破瓶颈的办法。

082

做些平时不做的事。

如果遇到高难度的事、困扰的事、棘手的事，并因此束手无策，也就意味着你陷入了"问题的迷宫"。为了逃出迷宫，可以尝试去平时不去的地方，做平时不做的事，比如去骑马、去十年没再去的游戏厅、买从未穿过的颜色的毛衣。通过转换心情恢复精神，重新振作，即便问题没有因此解决，但说不定能理出些头绪。

083

了解自己的表情。

与别人看自己的次数相比，说不定自己看自己的次数会更少些。我们每天都要和人打交道，因此非常有必要清楚了解自己的表情。紧张时，会流露出"好恐怖啊"的表情吗？遇到烦心事时，会流露出"发呆无聊"的表情吗？请多了解自己的表情，就算没有镜子，也该知道自己当下的表情。

084

每天都要更新自我介绍的内容。

每个人每天都在发生变化，虽然不是戏剧性的巨大改变，但从昨天到今天，可能因跳槽而不同，因搬家而不同，因年龄增长而不同，因思考方式改变而不同，因各色打交道的人而不同。我们需要做的，是了解当下的自己，斟酌如何表达自己，然后更新自我介绍。比起过往履历，建议大家把"现在正在思考的事"和"今后想要做的事"写在纸上，时不时与时俱进地重新审视一遍。

085

束手无策时不如先放松。

谁都会有遭遇突发事件、手头的事情难以推进因而精疲力竭的时候，为了解决问题，焦急地想方设法。其实在束手无策时不如放轻松。当人冷静下来，才能摸清自己为何陷入这一状况。理解现状后，继续加油，不被问题压垮。出色的人都很擅长放松，让我们先放松再铆足劲儿解决问题吧！

086

适当地休息十五分钟。

休息与懈怠是两个截然不同的概念，擅长休息很重要。即便被夸奖"工作到废寝忘食"，可这样工作的效率真的高吗？说不定会变成偷工减料。既然如此，不如给工作安排适当的休息时间，甚至可以制定类似"集中精力工作两小时后务必休息十五分钟"的原则。休息期间，可以从座位起身，洗洗手，走动走动，喝杯咖啡。如此一来，接下来的两小时工作效率会变得更高。

087

修炼不生气。

在每个人的身体里，都有一个控制情绪的小水池。生气时，池水浪花飞溅；自尊心受伤时，池水激烈沸腾；自己重要的领域被侵犯时，池水汹涌起伏。然而，问题会因为你生气而迎刃而解吗？势头会因为你生气而好转吗？请将"不生气"作为每天的必修课。正如古人所言，沉闷的话就从一数到十吧，等待体内小水池恢复平静。

088

请动真格。

无论做什么都想成功的话，就得动真格。换言之，动没动真格将决定成败。动真格的那股劲儿，能帮助我们改变现状，驱动事与物，撼动人心。"如果赌上所有却失败了"的想法会让人畏缩。话说回来，如果情绪保持热情高涨，也无法持久。对待动真格这件事，最好就像源源不断的地下热能，连绵不绝。一般来说，动真格的人没有做不到的事。

089

展现自己拼命努力的样子。

或许有人也稍稍察觉到了，专心努力的工作姿态其实非常讨厌。竭尽全力拼命奋斗，不给自己预留任何空隙，高冷到遥不可及，甚至常常出糗。但即便如此，仍希望大家别害羞，勇敢展现自己专心努力的一面。因为拼命努力时，你根本不会在意"自己现在是什么样子"。

090

活到老，学到老。

初次踏入现任职场时的紧张感，拼命努力想要适合陌生的环境时的心情，想必大家都曾拥有。因生疏而踌躇时，请不要忘记这份心情，争取活到老，学到老。随着越来越习惯于身处的环境，更要珍惜初次面对时的心情。所谓的"活到老，学到老"，是指"无论活到多少岁，总还有需要学习的东西"。漫漫成长路，需要的是谦虚、朝气蓬勃的姿态。

091

赏花赏其根。

遇见绽放的鲜花，不管自己怎样欣赏、憧憬它的美丽，都无法令自己这朵花也随之盛开。花的根是开花的前提，所以请多关心扎入土中的花根吧！思考那些看不见的努力和奋斗，这才是学习的原点。比起展现在眼前的妖娆花朵，与大地相连的花根，才是隐藏诸多秘密的地方。

092

不足的常常是自信。

"这个想法很棒噢,要不要动手试试看？""不不，我根本做不了。"像这样明明有很多点子，可一旦付诸行动便畏缩胆怯的人很多。因害怕失败，最后不知不觉变成了保守派。这类人缺乏的不是经验或实力，而是自信。自信不是自负，而是相信自己。请用诸如"没关系,我一定行"的话，多给予自己鼓励吧!

093

担心可以，但不能怯懦。

若一直想"事情要变糟了……"，人一不小心就会沦为懦夫。虽然事先做好最坏的打算很有必要，但如果一直反复考虑最坏的结果，就会什么都做不了。担心本没错，不过不能怯懦。

094

与一决胜负保持距离。

若决定"不做别人正在做的事",那说明你已卷入胜负的旋涡。尽管对手众多、竞争激烈的气氛能让工作变得更刺激,还能相互促进提高,但一决胜负真的会消耗很多能量。行走在空无一人的路上,就能摆脱胜负的困扰,一步步调整状态,朝目标方向进发。如果太过拥挤,不妨让他人先行。

095

拿出勇气逃跑。

不管遇到什么事，坚持就是胜利的心态非常重要，它是我们做事的基本态度。但不要舍弃"逃跑"这一出路。在必须逃跑的时候，就拿出勇气逃跑。即便这样很糗、被笑话是胆小鬼，即便有违道义、会被人讨厌，仍然要逃跑。当然，这里说的逃跑，是指非常理性地看清状况后，生理的直觉告诉我们非逃不可时的情况。悄悄逃跑不仅能让我们捡回性命，还能给我们以机会守护自己珍视的人。

096

培养独立思考的习惯。

不依赖任何人、组织和社会，无论走到哪里都能自力更生，无论想去哪里都能独自前往，相信这是所有公司需求的人才。自己判断、决定、负责、独立思考，这些习惯能让我们保持领先的优势。如被类似"先请示上司""先和大家商量一下"的想法束缚在原地不动，迟早会被淘汰。

097

尝试卸下职位。

对上班族来说，谁都会有"自己 某某公司某某部门"的职位定义。但真正的自己，其实是家庭中的自己、朋友圈中的自己、社会中的自己等多个自己的结合体，不要太过把自己局限于"现任公司"，因为这样会限制我们能力的多方位发挥，减少我们的选择项。不管身处不同的关系网，还是不同的公司，相信都会有属于自己的"门路"。

098

和运气交朋友。

想要和运气交朋友，就请遵守以下三条原则：保持微笑、勇往直前、与人分享。想要成功，除重要的实力以外，努力同样不可欠缺。然而，偶尔运气也是必要的。为了成为运气的好伙伴，"保持微笑、勇往直前、与人分享"是基本。

099

偶尔失败一下也好。

当事情如愿地顺利推进、接连发生好事、一切得心应手的时候，这时你该故意给自己制造点儿麻烦。究其原因，一帆风顺的后面必定是一波三折，所以得让局面取得平衡。换言之，顺利时人的步调会加速，而强行减速也是保驾护航的一环。

100

问问自己，你真的想做那件事吗？

做？还是不做？接到委托时，受到邀请时，如果犹豫不决，也不能靠计算得出答案。会失还是得？会赚还是亏？会成为宝贵的履历吗？如不做会有失道义吗？对于这些计算，还是建议大家放弃吧。与其计算，不如轻闭双眼扪心自问："你想做那件事吗？"如果答案是否定的，那就立马拒绝；如果答案是肯定的，哪怕不计结果，存在风险，前途渺茫，都请深吸口气，纵身投入那件事中。

100 个生活基本

《新100个基本》一直支撑、帮助、鼓励着我的日常生活，它就像重要的护身符，蕴含智慧与品德。为了能随时翻阅那些搁在心里的悄悄话，我用文字记录下它们。为了和更多的人分享，我在笔记的基础上加以整理汇合，最终集成这样一本语录集。

在这些话中，有我一直很重视的字句，有忽然领悟到的幸福，有深信不疑的品德和智慧，有想要分享给大家的乐趣，有众所周知却难以忘怀的语句，有守护自己的叮咛，也有让自己随时与时俱进的警言。

我常常思考以下问题：

我想成为怎样的人？我想过怎样的生活？我想怎么活？希望社会、家人、朋友、孩子都知道的重要的事是什么？为了让社会变得比现在更好，我能做哪些有用的事？想要留给未来的自己领悟到的智慧及教导是什么？我一边思考这些问题，一边执笔一条条记录，希望审视自己时，这些文字能派上用场。

随着年龄的增长、心理的成长，"工作的基本"和"生活的基本"里的这些话会随时发生变化。虽然现在写完了100条，但我会常常重新审视这100条基本，希望能让这些基本越来越完善、越来越有自己的风格。正因如此，100个基本的后面应该还有更多其他基本吧？

与此同时，我很想知道飘浮在你心中的那些基本，希望那些基本也能对我有所助益。为了和你分享我的基本，我想我会继续写下去。

在我看来，记录自己的基本看似简单，实际很难，不过它也像封感谢信，支撑着我前行。

100 Basics of the Life

Basic Notebook
of
Yataro Matsuura

001

温柔且柔软。

也许温柔是一切之基本，我们可以用柔软将其轻轻包围。如果把温柔当作相互交换的礼物，无须交流，也能达到美妙的效果。就拿马铃薯和肉打比方，放入菜汤前后的软硬度截然不同，我认为还是入锅后的松软更让人觉得回味深长。与人接触打交道亦是如此，刚正不阿固然可贵，但温柔和善更让人心悦诚服。

002

先人一步洞察发现。

为了比别人先有所作为，我们就要先人一步洞察发现。无论是能带来喜悦的事、期盼的事，还是想先拿到手的东西，你需要的都不是超能力，而是细致的观察及温馨的体贴。比如开家庭派对，谁都会想到准备食物、饮料和音乐，这时你需要准备的是，一旦大家倦了累了，可以用来倚靠休息的靠垫。希望大家能成为这样一种未雨绸缪的达人。

003

被人喜欢，也会被人讨厌。

"被喜欢"和"被讨厌"是一对组合。如果能被所有人喜欢，自然是令人高兴的事，但这绝对不可能发生。因为如果有十个人喜欢你，那就有十个人讨厌你。要是能意识到这个现实，就不会被社交软件上的评论及无情的谣言左右。人的喜恶总是变幻莫测的，如果不存在爱憎，那也就没有必要在意了。

004

不粉饰自己。

每个人都希望完美地展现自己，虽然不会为此做到虚荣、撒谎的地步，但稍微想要粉饰一下的心情倒是多少都有。然而，在这信息开放的时代，即便想要粉饰也很难成功。此外，粉饰意味着掩盖一些东西，与其如此，倒不如勇敢面对，不去粉饰，不去遮掩。越是不加以粉饰、活得真实的人，越容易和人打交道，问题也越容易解决。

005

加深亲切感。

对我们而言，亲切对待家人、朋友、工作伙伴就如同呼吸般稀松平常。可话说回来，这些亲切是不是早已模式化？当亲切变成单纯的习惯，或许就不再是亲切了。请常常下意识地想想"什么才是发自内心的亲切"。所谓的亲切，需发自内心，如挖得不够深，就无法企及。

006

用轻轻相连的虚线，联结与人的羁绊。

"与大家一起"的好处是轻松、快乐、心安，不过团体活动也有其限制性，那就是不能随心所欲地走自己的路。虽然友情很重要，但总得迎合别人的意见，一旦前进的道路出现分歧就被责备，这样的人际关系太过沉重。相信我们更想要的模式是即便偶尔独自打发时间、偶尔独自外出、偶尔做出不同选择，大家也能其乐融融。这种关系就像是轻轻相连的虚线，不紧凑但也不会离散。

007

有种智慧叫放下。

沉迷于未到手的东西，紧抓住已到手的东西，这样下去，将渐渐陷入苦闷，透不过气。建议大家购买衣服等物件时，可以采取"买一件扔一件"的原则。如果是物件以外的事情，相信这一原则也会适用。就拿学习、兴趣、社交来说，虽然乐在其中、受益其中，但如果全都收入囊中，想来也会拖累自己。

008

不意气用事，凡事保持理智。

无论是与亲友打交道，还是从事团体活动，生活中总会遇到与别人意见不一致的情况。这时，原本打算保持冷静的你，会不会因意气用事而固执己见？坚持"我就是想这样做"的行为，就像小孩撒娇一样蛮横无理。与其这样，何不理智地向对方说明"为什么这样做更好"，并努力得到理解？如果连自己都无法用语言说明清楚，那证明其实你自己都还没想明白。

009

靠近对方的心。

所谓与人靠得更近，不是双方紧贴在一起，而是牵挂对方，渐渐了解对方所想，让自己的心慢慢靠近对方的心。交流，就是这样一种连接你我他的媒介。比起开动脑筋，触动心灵的交流更能带来丰厚的收获。不管社会多么发达，心灵间的互动都是最重要的。

010

陪伴是最好的礼物。

你想替重要的人做些什么？或许你想到的是温馨的话语、亲切的态度、体贴的行为或赠送礼物。然而，当对方感到悲伤，温馨的言语也有无法安抚的时候；当对方受到伤害，亲切的态度说不定反倒成为一种负担。这时什么都不用做，只需默默站在不远处陪伴对方。对，只是陪伴，永远的陪伴。就算有阵子没见面，双方的心也依然靠得很近，这才是最美好的礼物。

011

跟人见面，不忘带上礼物。

和人会面一起吃饭或喝茶时，除营造良好的相处氛围外，还要给对方准备份礼物。不过，这里说的礼物并不是指巧克力、名贵坚果之类的东西，而是诸如对方感兴趣的话题、能启发对方的建议，或让对方打起精神的笑颜。那些令人怀念还想与之相见的人，那些让人觉得"每次和他（她）会面都有意外收获，能见面真是很幸运"的人，总能给人带来开心的礼物。

012

答谢时要附上感想。

向对方说"谢谢"时，请再加上些感想。答谢是回赠对方一份"礼物"，但不一定是物件，也可以是句感谢。哪怕不是郑重的言辞也无所谓。譬如收到点心，你可以回复对方说："因为太好吃了，全家人有说有笑地边喝茶边品尝你送的点心呢。"只需这样一句平淡简短的话，对方就能想象你和家人开心的场景。总而言之，答谢和被答谢都是值得高兴的事，让我们借由礼物，创造很多欢乐的事情吧！

013

多替对方担忧。

我们之所以收到他人的求助后闻声而逃，是因为我们不是当事人、懒于想象、缺乏同情心，待人不够亲切。虽然世上什么样的人都有，但还是希望大家在遇到这种情况时，能发挥想象，多替对方担忧。比如求助者是不是走路时突然被车撞了？向来坚强的孩子是不是陷入麻烦受挫了？原本该顺利推进的事是不是受阻停滞了？担忧就是要把对方放在心上，这不是什么坏事。

014

不强求。

每个人都有自己的策略及原则，也有不少人凭借经验，快速做出决策。尽管替人分忧的精神很珍贵，但请千万别强求对方。不管出于多大的善意，强求都是剥夺对方自由的行为。比如判断食物是否好吃，哪怕是自己的孩子，他（她）也有自己的自由。生活方式的好与坏，因人而异。是否接受你的意见，是对方的自由，请不要用"我是为你好"这种咒语束缚他人。

015

学会谦让忍耐。

"自己"是不是每个人最关心的课题？比如无论如何都想说关于自己的话题，时不时都想成为最出风头的人。总而言之，任何人都拥有自我展示的欲望。可即便如此，希望大家能稍微抑制些，做到谦让他人。有时可以多忍耐，优先考虑对方。不过需要注意的是，太过谦让说不定会被误以为是不负责的旁观者。正因为不容易斟酌，所以更要谨慎把握。

016

不要一味否定。

也许你的预言像上帝一样精准，但即便如此，也不要否定别人说的话，不要一开始就说不，不要关上心门把话说死。打心底否定的行为，就像是猛地咔嚓一声剪断绳索。另外，否定还会埋下争吵的种子。所以不管什么事，都请试着坦率地倾听。我们通常无法接受对方的意见，是因为明白两个人的观点"不一致"。

017

察觉被背叛时，请选择原谅。

即便双方相互信赖，彼此尊重，但突然遭受背叛的情况也还是有的。这时，受伤的你应该会充满悲痛和愤怒吧？也会因恨想要谴责对方吧？但事实是，人就是一种偶尔会做出背叛行为的生物。既然无法解决，那就放弃追究吧。如果被背叛，可以试着体谅对方："他（她）之所以这样做，一定是遇到什么事迫不得已吧？"而不是感情用事地责备对方。说到底，人是脆弱的。与此同时，也别忘记"或许有一天自己也会背叛别人"。

018

和比自己优秀的人打交道。

和比自己优秀的人打交道，其实是件很费劲儿的事。之所以这样说，是因为和他们一起时，我们必须强迫自己加速成长。一旦发现不足，不仅要接受这一现实落差，还要努力缩短与他们之间的距离。虽说过程很艰辛，但这种强迫自己的交友方式，是提升自我的最佳课程，它能让我们体味到平时在舒适朋友圈中感受不到的紧张感，并以此提升水平。纵使要和老朋友分道扬镳，也该勇敢下定决心和比自己优秀的人打交道。

019

打磨很重要。

新事物本身是极具魔力的，比如就算很便宜，但只要是新衣服，我们就会穿得很开心；就算要去做很辛苦的劳作，但只要有新工具，我们就能打起精神。但如果一味依赖新事物的力量，即便再有创新性的想法与事物，也会有腐旧的一天，因此要在新与旧之间找到平衡点。对待现有事物，请多斟酌它们是否存在不足，是否要再下点功夫，是否要多打磨一下。无论物品、能力还是打交道的人，"新"都不代表所有。

020

即便饭菜朴素也要吃得丰盛。

用正确的方法淘米，注意水量及火候，才能顺利地煮出闪闪发光的白米饭。比起味噌汤的浓度，更要透过汤汁、味噌酱、配料，还原每一道素材原本的味道。即便不是招待客人，也要费心把每顿饭做得美味。诸如"只要能填饱肚子，吃什么都一样""口味重一点儿的食物好好吃"的想法，你不觉得太过乏味吗？

021

培养慢食习惯。

吃饭是一件快乐的事，并非填饱空腹就好，因此，让我们慢慢品味吧！如果你有狼吞虎咽的习惯，请记得改正。是很急？很忙？还是饥饿难耐？一日三餐，应该不至于都这样吧。

022

下功夫是一件奢侈的事。

觉得"做饭很麻烦"所以买外卖，觉得"没有能做的事，很无聊"所以发泄不满，无论前者还是后者，都大有人在，但我认为这样很可惜。因为只要下功夫做事，就不会觉得无聊。比如拿做果酱来说，从清洗、预备到咕嘟咕嘟炖煮，这是一段奢侈且欢乐的时光，请不要只把它当作料理看待。通常乐趣就隐藏在下功夫做事上，来一起尝试寻寻宝吧！

023

正统的西式套餐是品味日常。

从购买食材、烹饪、选择器皿到盛放好端上餐桌，这一整套才叫料理。当然也包括餐后碗盘的收拾。无论哪个步骤，都该诚心诚意精心做好。或许这些你都明白，但偶尔还是可以再多叮嘱自己。从娱乐消遣到前菜、主菜的西式套餐实属豪华，然而正统的西式套餐重在品味日常。买菜、料理、选择盛放的器皿、和亲爱的家人一起享用，这是多么奢侈的一件事呀！最后，品尝完甜点，请别忘记收拾餐盘。

024

了解自己现在想吃什么。

"现在想吃什么呢？"请试着如此询问自己
的身体，因为这很重要。想吃甜的东西？想吃味
重的东西？想吃蔬菜？想吃肉？可以透过这些想
吃的食物，了解当时的身体状况。众所周知，身
体不健康时，人就会想吃对身体不利的东西，尤
其是那些具有麻痹性效果的东西，这或许是身体
崩溃的前兆。为了了解自己，请试着询问自己"想
吃什么"。

025

餐具必须是温的。

餐具其实就相当于手掌，听说远古时期，人就是通过手掌传递食物。既然手是有体温的，所以餐具也一定要是温热的才行。加热餐具后，把热乎乎的料理盛在上面，这时即便是很日常的意大利面或咖喱饭，也会成为丰盛的超级美食。至于加热餐具的方法，可以用水龙头里的热水冲洗，也可以用铁锅或水壶烧水浇淋。最后别忘记迅速擦干。此外，杯子也可采用同样的方式加热。

026

器皿决定料理。

鲁山人有这样一句名言："器皿是料理的外衣。"换言之，美味的食物会因不般配的器皿而被糟蹋。鉴于此，在做料理时，请好好思考用哪个器皿盛放。有些人认为"白色最百搭"，但其实白色器皿很难搭配，因为白色器皿品质的好坏，一眼就能分辨出来。反之，黑色及藏青色器皿即便廉价却很百搭。另外，有花色的器皿能给人带来不少欢乐，色彩鲜艳的碟子也很棒。总而言之，请大家多多尝试。

027

放弃现成品。

"只要有现成的，那就用现成的"的想法既不浪费又很聪明。不过，现成品能帮我们看清物件的本质吗？即便可以"模仿"，但模仿的终究不等于原创，不是吗？正如"可用现成品应急"字面所示，所谓现成品，是用来应对紧急事态的，或者说是中策。如果平日里就用现成品敷衍了事，久而久之就会懈怠，最后说不定还会造成不是"什么都易如反掌"，而是"什么都有可能发生"的无秩序状态。

028

不是收藏，而是选择。

所谓收藏，就是乐于收集很多东西，而选择，就是乐于努力选择出一件东西。物件自然不在话下，所有的东西都要选择。比方说，比起"喝什么随便"及只喝咖啡这两种行为，根据自己当日身体状况及心情，慎重选择饮料，会让饮料更美味。总之，平时请多注意斟酌选择，重视选择这件事。

029

每天确认冰箱里的东西。

请每天都确认一下冰箱里的东西吧！越是塞满东西的大冰箱，越要细致地做好确认。在清楚了解冰箱里还有什么东西的基础上，制作料理。虽然购物是一件愉悦的事，但不可能天天花工夫在上面。想要尽快决定今天的菜式，比起研究新食谱，确认冰箱里已有的东西会来得更容易些。

030

味道淡些，分量少些。

通常第一口是无法尝出味道的，借由第二口、第三口，这才开始慢慢探索出食物的滋味。如果能把味道调淡些，方可将食材本身的美味留到最后。外卖及家常菜的作料一般都会偏浓郁，虽然一口就能满足舌尖，但缺乏余味。正因如此，我才认为家庭料理清淡些好。像那种能马上尝出"番茄酱味"的菜，我觉得很乏味。此外，如饭菜的分量能偏少些，不仅视觉效果好，还不会给身体带来太大负担。

031

完美无尽头，眼光需长远。

用吸尘器打扫完卫生后，再用抹布擦拭屋子的角落，去除隐蔽角落的尘埃。做完以上工作，你应该会认为"打扫得很干净完美"。可即便如此，清扫工作也仍未彻底完成。追求完美，就像是行走一段没有终点的旅程，而我们一直都还在路上，让我们做一个稍微有点儿啰唆，时不时质疑是否达到完美的人吧！找到需要改善的地方，以超越今日的完美为目标。当然，这些建议不仅限于清扫工作。

032

每日做个小扫除。

即便每天清扫，也有很多只有大扫除才会触及的地方。为了给大扫除减轻负担，建议大家把这些地方进行分割，每天针对分割好的部分做个"小扫除"。比如"今天要打扫阳台""今天要擦拭灯罩"。如果房屋环境总能保持清洁，心情也会愉悦，通过每天一个清扫小工程，带给自己心满意足的成就感。假如能长此以往坚持清扫，生活便不再需要大扫除。

033

擦桌子仪式。

擦桌子时，先用拧干的湿布擦拭，然后再用干布擦拭，最后再用另一块干布重擦一遍，如此一来，桌子才能擦干净。如只用湿布擦一遍粘在桌上的污渍，有时会导致污渍面积越擦越大。正因如此，才需要用干布擦拭，甚至擦两次。这一举动，与其说是为了擦掉污渍，不如说是擦桌子的仪式。

034

学习做客礼仪。

去餐厅用餐，有时即便表现任性也会被宽恕。但作为客人，请别忘记我们有责任维护餐厅的良好氛围。诸如好几个人不趁热吃饭、大声喧哗，不仅会让周围的客人心情不悦，还会让店家大伤脑筋。这些行为实在要不得。为了避免给人增添麻烦，请大家多学习做客礼仪，用赏心悦目的行为举止品尝美食。

035

善于察言观色。

察言观色既是成年人的乐趣，也是颇为日式的体贴。在我看来，察言观色是一种美好的礼仪，即便不用语言确认也能理解对方的意思，默默站在对方的角度思考问题。希望大家能努力做一个"善于察言观色的人"。如果对方不言明，比起张嘴刨根问底，体谅到对方或许现在希望自己别插手会更好些。再比方说，假如旁人聊起麻烦复杂的事，最好能见机行事主动起身离席。若能成为一个善于察言观色的人，即可在特殊场合表现出适宜的举止。

036

主动搭讪吧！

有时即便不用语言，人与人也能进行交流，正因如此，我们会在不知不觉间忘记搭讪。无论在家、附近社区还是职场，无论有事没事、有无特别的话，都请主动和人搭讪吧！譬如"最近身体还好吗？""真是神清气爽的好天气呀！""最近过得怎样？"……这些客套话都可以，搭讪意味着你还惦记对方，通过搭讪，可以增进彼此间的关系。

037

谈吐清晰，一听就懂，格调优雅。

说话时，要语句通畅，声音温柔，谈吐清晰，不要卖弄知识，尽量让难懂的事一听就懂。哪怕说轻松的笑话，也要不失格调，这是成年后需要锤炼的品质。请大家随时自我检查平时说话是否散漫、粗鲁。

038

凡事具体化。

语言，是人与人之间传达信息的工具。无论口头语还是书面语，都应该通俗易懂，通俗的窍门在于具体。就拿村上春树的小说来说，他的比喻总是写得很具体，甚至还会引用真实歌名；料理细节的处理也很具体化，给读者带来无限真实感。日本小说多数偏好描写心理活动，而外国文学更注重具体化描写。在此，建议大家说话、写文章都多尝试使用具体化的比喻。

039

注意起承转合。

和人说话，如有开头、中间，没有结尾，想必对方会摸不着头脑。当自己有想要了解的事，也同样该按照开头、中间、结尾的顺序循序渐进地认识。书籍也不例外，作者通常都会遵照起承转合的规则写书，所以阅读时，我们也该开动脑筋思考这本书的框架。如说话能注意言简意赅，写文章注意通俗易懂，那你的话语及文字就会成为表达恰当的范本。

040

不论长幼，措辞文雅。

所谓亲切，不是指"凡事都 OK"，尤其该注意的是措辞文雅。如用词太过严谨或太过散漫失礼，都不合适。措辞需用心，不管关系多么亲密，都不能忘记带有敬意地和对方交谈。当然，这里的对方不仅限于长者。不论长幼，措辞文雅都是我们为人交友的基本。

041

遣词用句的方法。

真正成熟的人，说话时都会慎重地使用措辞。通常被信赖的人，都是守口如瓶的人。如把别人告诉你的话全都说漏了嘴，恐怕以后没有人会再信任你。尤其不要无心地夸大其词或扭曲事实。能让人放心的人，都是不到处显摆的人。即便了如指掌也默默倾听才是真正具有智慧及包容力。

042

等待时的站姿。

约会碰头时，总能看出一个人的本性，等待时的站姿更能清楚地反映当下的心情。换句话说，等待就是强迫自己稍稍忍耐。有些人会因为等待而焦躁难耐，有些人会显得疲惫不堪，有些人会坐立不安地猜测"对方是不是不来了"。正因如此，等待时站姿优美的人才显得更出色。请大家多留意自己等人时的站姿。

043

传播微笑。

无论何时，都要保持嘴角上扬。比起漂亮的口红、帅气的领带，微笑是绝佳的装饰。嘴角上扬能无言地将"笑口常开"这一信息传递给他人，温暖周围的气氛。当你保持微笑，对方受你感染而微笑，然后，微笑被传播给第三人、第四人。换言之，当嘴角上扬，即微笑被传播开，世界将温馨无比。

044

寒暄即感谢。

虽然"早上好""谢谢你"只有寥寥几个字，但它们是感动人心的寒暄语，是诚心诚意的礼仪。虽然简洁，但包含了对对方的感激之情。寒暄是不带任何意图的无心举动，它能反映人的心理状态，而心不在焉时的寒暄听上去会很空洞。请在和人会面时开心地打招呼说"你好"，在送走美好一天时感恩地说声"再见"。

045

不说"可是"。

虽然"可是"不代表恶意，但这一癖好会招来麻烦。比如对方告诉你"那家店不错"，而你却说"可是这家店更好"，在我看来，你之所以做出这一举动，是因为认知受到了威胁，好像完全不接受对方的意见。如果你有这样的癖好，请积极改正。优秀的人会随着年龄的增长而变得坦率，不管什么话，都会抱着一颗钦佩的心谦虚倾听。听说有好的事物，就去勇于尝试；听说有不错的电影，就去积极观看。正因为这份坦率，收获才会越来越多。

046

不放过关怀别人的机会。

时刻思考"何谓关怀",是加深人际关系的一大课程。然而,关怀不是一成不变的,即便摸索到某一方式,也非绝对适用。有时倾听是关怀,有时给对方独处的安静空间是关怀。所以,我们应该思考"现在这种状况怎样做才叫关怀"。当明白"对方希望这样"时,就是表现关怀的时机。只要是我们能做到的,就该抓住机会,给对方温柔的体贴。

047

聆听对方的意见。

与人交流，比起发言，应该优先聆听。聆听，可以拓宽各种可能性。无论学到新知，还是取得信任，都是培育自己的养分。另外，善于聆听也是维护良好人际关系的一大秘诀。

048

用信件传达心意。

当今时代，邮件及即时通信给人类带来诸多便利，但不能说它们无所不能。如有要事相求，写信是任何形式的软件都无法取代的最佳途径。首先要选择信笺及墨水，然后思考如何下笔，书写时不仅要沉浸投入，传递所思所想，还要注意不要用词不当。不过，写信道歉的话或许会给人"我毕恭毕敬写了，所以这件事到此为止"的印象。所以道歉最好是面对面低头赔礼。总之，不同场合需用不同的表达方法，请细细领悟。

049

别轻易侵犯别人的隐私。

这世上总有人不是爱干涉别人隐私，就是老提一些关于对方家庭的难以启齿的问题。对这类人而言，或许他们认为"反正关系亲密，所以刨根问底也没关系"。要说他们为何想问，其实只是想知道罢了。这纯粹只是好奇，不带恶意，却很丑陋。真正优秀的人，哪怕门开了，也有不私自闯入的分寸，知道不能轻易侵犯别人的隐私。即便隐约看见了，也假装没看见。

050

礼仪正确，打扮整洁。

手帕、纸巾、指甲刀，这是小学进行卫生检查的必备品，从十几年前到现在一直如此。长大成人后，请自己一一做好确认。比如打扮是否整洁，头发是否凌乱过长，衣服是否不够平整，全身上下是否整齐、干净、舒爽。除此之外，礼仪正确也是端正仪容的一部分。

051

注意保持安静。

成年人应该注意保持安静，如大声说话，在餐厅和饭馆会显得很粗鲁，在自助咖啡厅会显得没礼貌。咚咚咚地走路，啪嗒一下猛地甩上门，哐啷一下放下杯子，诸如此类带有声响的动作都需慎重。另外，摁电梯按钮、在公共交通的自动检票机上刷卡，安静与喧哗的动作定然会给人截然不同的印象。

052

比起吸气，要多呼气。

跑马拉松疲惫不堪时，人总会不停地吸气，但疲劳时最重要的是学会呼气。当下意识地呼气，自然而然地就会吸气，如此一来，呼吸才能得到平衡。我们在日常生活中亦是如此，繁忙、紧张时，如只顾不停吸气，会令人难受，所以疲惫、紧张时都该呼气。若能谨记这条建议，定会给你带来助益。

053

体温计是必备品。

体温计犹如护身符般重要，应该常带在身边。一旦需要，即可随时轻松测量体温。无论体温偏高还是偏低，都能通过测量掌握健康状况，即便不去医院也能及时照顾身体。此外，如体温正常，自己也会放心不少。总之，体温计是健康管理的必备品。

054

照镜子检视自己。

镜子可以反映现实，它有时能发现我们自己不愿承认的缺点，再加上随着年龄的增长，或许很多人变得不爱照镜子。可即便如此，为了确认是否做好了与社会打交道的准备，我们应该好好照镜子。当然，如果你在意自己的内外形象，那是好事；如果不在意，那就不妥了。

055

不要害怕变化。

有些人会很恐惧现状的变化，一旦习惯、关系、环境发生变化，不仅精神紧张、长出白头发，还会身体紧绷、沮丧不安。可话说回来，如果没有变化，人只能在没有成长的环境下逐年衰老。因此，充分享受随着年龄增长而不断变化的自己吧！那些优秀的成年人，全都享受变化，身段柔软，这样才是真正出色的人。

056

找回童真。

成年后，我们会渐渐习惯做一个经验丰富、知书达理的人，这份努力很了不起。可有时随着知识教养的不断积累，人宛如裹了很多件衣服，变得喘不过气来。一生中，我们总会遇到某段裸奔时刻，这时不妨脱下成年外衣，恢复童真，回忆那段单纯的岁月，比如"我喜欢这个，最怕那个，这是我的缺点"等，那里才是你正式踏上成年之路的起点。

057

分享留恋。

"有什么东西是值得我留恋的吗？"这样边思考边扪心自问，我发现答案是儿时的记忆及成长的过程，这些都是非常个人的东西。而留恋是怎样一种感觉呢？举例而言，就是比起名汤更爱味噌汤，比起奢华的菜肉蛋卷更爱日式鸡蛋卷。归根结底，所谓留恋，对象大体都是些极其普通的东西。观察自己留恋什么、坚持什么，并将这些已到手的平凡分享给更多的人。如此一来，人心与人心即可相连。

058

表示诚意。

请试着独自一人倒杯爱喝的饮料，坐下来，思考何谓"诚意"。在我看来，诚意可以是不图回报的竭尽全力、是不撒谎的真心实意、是单纯不虚伪的心情，也可以是即便有损失也不在意的那份纯粹。请尝试发掘属于自己的"诚意"，并向某个人展现出来，哪怕不是什么了不起的事也没关系。通过展现，相信你会一点点慢慢明白何谓诚意。

059

培养深挖的习惯。

乍一看便说光滑的水煮蛋是"白色的"，其实是错的。正因为有松软热乎的蛋黄，才叫水煮蛋。无论人还是物，若轻易下定论会显得很无趣，也很肤浅、遗憾。只追求数量寻求刺激，三心二意，结果只会是什么也学不会。所以深挖的精神非常有必要，心中存疑，踏实仔细地确认。如能养成深挖的习惯，不仅智慧越积越多，还能与他人建立丰富的人际关系。

060

不用脑，要用心。

人体开关分用脑开关和用心开关，生活中请时刻打开这两个开关。关于如何用脑，就像学习教科书上的东西，渐渐习惯后即可融会贯通。而关于如何用心，无人能传授。我的常用方法是认真观察眼前的人与物，仔细揣摩他们的心情，反复试验，不断摸索，久而久之便能总结出用心的方法。生活中的我们总在不知不觉间只顾用脑，希望大家也能下意识地用心生活。

061

明白的事与感触到的事。

"明白"是指用大脑理解；"感触"是指用心接受。明白与感触之间，重点在于平衡。如遇到大脑接受而内心却无法信赖的东西，不妨用存疑的态度看待。反之，向对方传达某件事时，不要只追求让对方"明白"，而要在言语间倾诉"感触"。

062

关于憧憬。

在这世上，没有任何动机能胜过憧憬。憧憬是人内心里那片从未被外界影响过的地方，是了解真实自己的线索。不可思议的是，当我们长大成人，儿时憧憬过的东西仍会在眼前浮现。假如当下的我们还能望着那些憧憬点头表示"啊，看来还是喜欢这个"，在我眼中这是非常温馨的一幕。

063

激情与浪漫的魅力。

即便不聪明，即便正在做的事是一件小事，即便没有名气、没有钱，长得不是特别美，但只要这个人有正能量，我就会无条件地被吸引。可能是受某种热情的影响，不知不觉就想要支援对方。这种人，是拥有激情与浪漫的人。他们不会算计，信念坚定，体内的激情与浪漫与生俱来。正因如此，无论多大的梦想，他们都能实现。

064

解决麻烦是我的职责。

能从容面对生活的人通常都拥有两股力量：一股是闪避麻烦的技术，另一股是超越麻烦的能力。遇到麻烦，该使用哪股力量，由自己决定。比如目测问题不大，那就不逃避，尽量运用超越麻烦的能力。此外，如果下定决心把想方设法解决问题当作自己的职责，即"解决麻烦是我的职责"，那或许这将成为你拥有的第三股力量。

065

不要强忍悲伤。

如果明明悲伤却假装不悲伤，人会渐渐感受不到悲伤。如果将悲伤转为愤怒发泄，那就没有那么悲伤了。悲伤，是人成长、生存过程中必不可少的感情之一，所以，请拥抱悲伤，丰富自己的感受吧！越是明白悲伤的人，越能理解他人的心情。

066

道德，是因时因地该有的态度。

道德既不是强制性的原则，也不是亘古不变的东西，如用语言表述，我认为它是"因时因地该有的态度"，随着家庭、朋友圈、公司、社区的不同而不同。请多留意"当下的状况是基于什么样的道德"，如此一来，大家都不会凭个人喜好做出随意的言行举止，世界也会稍稍变得规范。

067

只做一件事。

一点点完成该做的事，就像拼一张时间拼图。久而久之，在所有场合，"顺便做点儿什么"的想法逐步增多，虽然这样效率可观，但把时间集中在一件事上的做法更能积累经验。向人传达信息时亦是如此，比起想要囊括所有的贪婪，集中传达一个信息会更高效。

068

今天是为了明天而存在。

如把每一天视作一个个散乱的点，我希望大家能把它们紧密地连接起来。连接今天和明天，是我们命中注定的工作。尽管今天非常重要，但时间不会停留在今天。今天，其实是为了明天而存在的一天，为了明天也能心情愉快地工作、舒适惬意地生活，必须珍惜今天。若有"今天的一切是为了明天"的想法，那做事就不会敷衍马虎。

069

有规律地生活，为睡眠做投资。

早起的秘诀是早睡，生活规律是一大重要的基本，其中的关键在于睡眠。或许年轻时通宵熬夜能扛得住，但随着年龄的增长，人会越来越吃不消。作为牺牲睡眠的代价，身体、精神、大脑都会变得难以运转，吃饭食之无味，宝贵的一整天泡汤了。为了拥有良好睡眠，请做出相应的投资，例如枕头、床单、卧室灯具及空气，既可以根据自己的喜好斟酌挑选，也可向人详细请教。

070

清晨在床上用一分钟制订全天
计划。

睡醒睁眼，开启新的一天之前，请躺在床上根据今天的天气、自己的身心状况制订计划。当然，我们可以根据天气选择穿衣打扮，可除此之外，家庭和工作上还有无法预料的事。在床上事先收集好资料，然后咔嗒咔嗒地输入大脑这台"超级电脑"。一旦决定"今天就这样度过"，即可准备起床。只需一分钟，我们就能制订好今天的计划。

071

思考生活节奏。

清晨睁眼醒来，该想一想今天一天要以怎样的节奏度过。如正值下旬，还可顺带思考下个月的节奏，是扑通扑通迅速地动起来，还是像跳华尔兹一样舒适地度过。临近季节更替，可思考下一季度的生活节奏。热闹的万圣节及圣诞节前期，可思考明年的节奏。节奏意识能让我们的日常变得有张有弛、舒适平衡。

072

先尝试坚持三周。

生活中总会遇到一些新鲜的事物，例如运动、兴趣、新规则、饮食方法、早起等，如果想把这些新项目引入生活，不妨先尝试坚持三周。之所以这样建议，是因为一周有点儿短，两周可能还没摸清门道，三周应该能通过体验判断是否适合自己、是否真有必要、是否要继续。比起三分钟热情或逞强坚持，起初给自己设定"体验期"的方式更好些，更易于培养好的生活习惯。

073

享受下午茶时光。

不管多么繁忙，每天都要停下来休息一次，而最佳方式便是三点喝杯下午茶。一大早就开工的人有句说法："上午十点、下午三点是休息喝茶的时间。"对于早起给家人做便当的家庭主妇，这也是适用的。上班族通常都是九点开始工作，所以下午三点休息一次刚刚好。停下手头工作，花上十五分钟或三十分钟喝喝饮料、尝尝点心。如能平心静气地享受下午茶，想必工作也会更努力。

074

从说谢谢开始，以说谢谢结束。

无论做什么事，都该从说谢谢开始，以说谢谢结束。开始的谢谢是为了感谢即将和你一起投入工作的伙伴，结束的谢谢是为了感谢和你一起埋头苦干完的伙伴。如果只在看到期待的成果后才说"谢谢"，我认为这样不够妥当。即便结果不理想、不满意，包括自己在内，参与到这件事的所有人都花费了宝贵的时间。因此，"谢谢"这样表示感恩的话是理所当然的，它是一种一视同仁的行为。

075

不剥夺他人的时间。

时间与金钱一样珍贵。如赴约迟到、自己擅自决定日程、不顾他人方便、短话长说，会给对方带来有如金钱被盗的困扰。类似"自己有空，对方肯定也有空""既然今天很快乐，就不要管时间的问题"的想法，顶多也就在学生时代会被原谅。

076

偶尔也要按兵不动。

对于刚加入队伍的新宇航员来说，不擅自行动是非常重要的纪律。首先，队伍有自己的做事方式；其次，优秀的前辈们各自都在努力完成任务。这时，如果新人干劲十足地按照自己的方式行动，会给旁人带来诸多麻烦与不便。同理，融入一段全新的人际关系时，例如搬家、跳槽、学习技艺等，请暂时低调地做个助手。视情况而定，偶尔按兵不动，多观察观察。

077

外柔内刚地面对新事物。

每个人都有自己的处事方式，但这些方法并不是绝对的。出现新工具、新秘诀、新方法、新思维方式时，请放下身段，坦率地面对。不过在面对时，不能舍弃自己的内核。换言之，如把"不动摇的自己"看作树干，那面对新事物，从中习得的新知就是嫩叶，让我们源源不断吸收新知，尽量使树干枝繁叶茂吧！

078

多给自己一点儿时间。

其实人独处的时间出乎意料地少，无论上班族还是家庭主妇，基本上一天都在"为了谁做一些事"或"做一大堆该做的事"。应该想方设法创造一些完全属于自己的时间，哪怕一小时或三十分钟都可以，借这段时间，我们可以思考"曾经被遗忘的本心有哪些""现在对什么感兴趣"。给自己创造时间的行为不是任性，而是必不可少。

079

试着放慢脚步。

有时开车明明没什么急事，却在不经意间脚踩油门加起速来。有时听到发车铃响，人会条件反射地跑入车内。如果你觉得这些行为是对的，那说明你已中了速度的毒。无论是当日配送的服务，还是对短时往返电车的推崇，都证明社会及世人在迅速加速，但我们不能因此就认为生活方式也该加速。人可以加速，也要懂得减速。如果赶不上这趟巴士，那就趁等下一趟的这十五分钟发发呆。在我看来，发呆的这段时间也是珍贵的。

080

提高聊天品质。

尽管苹果是红色的，但如果持续不断地聊红色一事，最后只会对苹果了解甚少。对认识事物而言，重点在于削皮后的本质。如对话仅仅停留在表面或喜恶之上，不仅没有效果，无法展开深度交流，还很浪费时间。假如喜欢，那就聊聊为何喜欢；假如讨厌，那就聊聊为何讨厌。相互交换意见、深入探讨后，当重新仔细独立思考，或许能发现启示。

081

持续坚持学习。

从学校毕业后，我们也该持续坚持学习。对成年人而言，更是如此。真挚地问自己："在当下这个环境，我还有什么不足之处？为了弥补这些不足，我该学些什么？"此外，要是能时刻思考"我今天该学点儿什么"，相信你的一天会过得积极向上。不管活到多少岁，都要认真思考，务实学习。

082

今天是不看屏幕日。

请一个月设置一天不看屏幕，我们每天都在面对电视、电脑、手机等各种屏幕，长此以往，生活就会被这些东西操控支配。正因为屏幕是生活必不可少的一部分，我们更该抽空做做运动、散散步，与屏幕隔绝，找回生活中自己的平衡点。

083

在生活中多学习地方历史。

如果你生长在东京，就请了解东京的历史；在银座上班，就请了解银座的历史；住在埼玉县，就请了解埼玉县的历史。无论北海道、冲绳，还是新宿、涩谷，希望大家都能对与自己有缘的那个地方的历史多一些兴趣，掌握当地文化，好好了解这个地方的过去。如果有必要，可以去当地图书馆翻看资料，这样了解起来会更快些。

084

历史和宗教是成年人的教养。

历史和宗教作为成年人的教养，两者紧密相连，是了解人类本质的良师益友。哪怕旅行时多学习当地历史与宗教，想必收获也会越积越多。比起历史，宗教往往被敬而远之，但就拿《圣经》来说，它是世界上阅读量最多的书籍。无论历史还是宗教，都是由故事组合而成，可以通过智能手机的各类应用软件，扩大阅读量，提高自身教养。

085

回顾失败，多做检讨。

正所谓失败是成功之母，比起成功，回顾失败的收获会更多，比如从烤焦的薄饼中总结新秘诀。出现误解时，好好想想造成误解的原因，培养体贴对方的好习惯，反省越多的人越幸福。

086

以成为会理财的"小气鬼"为目标。

花钱需遵循消费、浪费、投资三方面平衡的规则。投资是为今后做打算，尽管需要很长一段时间才能看见成果，但不要因此忘记投资。虽然浪费是应该避免的，不过消费也是一种学习。通过自己做功课也好，请教专业人士也罢，总之请建立自己的花钱原则吧！往往和金钱做朋友的人，都是会理财的"小气鬼"，他们请客时表现大度，但绝对不在收取手续费的 ATM 机上办理业务等。希望大家也能以成为会理财的"小气鬼"为目标，独树一帜地形成自己的流派。

087

去一趟动物园。

不带孩子、不约情人，可以的话，请尝试一个人去动物园或植物园。通过仔细眺望园内之物，训练衰退的观察力。例如企鹅的列队、打哈欠的长颈鹿、从未见过的南国鲜花。当然，这里的观察并不是以拍照的方式，而是通过自己的双眼，尽量把眼前事物的鲜明画像映入脑海。一旦观察力得到锻炼，即可迅速察觉生活中的危险，快速回避开。即便遇到寻求帮助但有口难言的人，也能运用敏锐的观察力对其伸出援手。

088

和汉字及字典做朋友。

考虑到方便阅读及良好的视觉效果，似乎有一种认为"平假名更好"的流派。虽说如此，可对汉字敬而远之的行为太过片面和可惜。汉字中的文字本身就具有丰富的含义，可学性高。我建议大家与汉字做朋友，勤翻字典。字典可以帮我们了解同音不同义的单词、领会如何灵活运用汉字，以及学习不认识的单词。字典是最有趣的书，也是知识最渊博的良师益友。

089

将喜好进行到底。

今后社会将需要像"御宅族"一样术业有专攻的人才，而追求如万能播放机般全能性人才的时代已经终结了。鉴于这一趋势，最好将喜好进行到底，发挥到极致。享受乐趣的同时深入钻研，造福社会。这既是一大贡献，也是一大幸福。

090

赶时髦也没什么不好。

有些人认为到了这个年龄，只能对高品位东西保持兴趣，其他都不入流，例如穿上等的衣服、用高级的东西、有高尚的爱好。虽然这类人很出色，但同时也很乏味。当有人说"你真是一个爱赶时髦的人呀"，请别把这句话当成毁谤，反之，把它当作是表扬自己"好奇心旺盛"的嘉奖。如果能和世人一起热衷于某件事或物，那说明你的心理年龄很年轻。不要笑话别人一大把年纪还在做什么，请卸下年龄的负担，和大家一起享乐吧！

091

拥有个人风格。

无论日常生活、工作，还是生活方式，对所有事自始至终都秉持自己信念的人魅力可嘉。换言之，就是有自己的风格。不过，风格不是固定不变的，它就像到手的宝物，需要不停打磨。越是优良的风格，越能提高生活方式，还能让我们的人缘变好，深入社会。

092

不轻易讨厌人。

每个人都会遇到和自己难相处的人，就像有人怕虫子一样。换言之，不论人或物，总有不擅长应对的时候，可一旦把人分类到"讨厌"这个箱子，就是对这个人的否定。人际关系是捉摸不定的，有时也许只是误解，有时说不定今后还有求于对方。因此，不要断定"就是讨厌对方"。如果能克服自己的不擅长，自然也就不会轻易讨厌人。

093

不方便是理所当然的。

有些人做事很焦躁，好不容易外出一趟，却因电车晚点而发牢骚。原本这地方该走路去，现在电车能替人代步而行已是奇迹，而且还能按时往返，这更是奇迹。本来不方便是理所当然的，而今却因一点儿小问题而抱怨，真是愚蠢糊涂。人正因为能接受那些"不如愿的事"，才能产生心理上的化学反应，进而去学习、去认识、去思考、去钻研。

094

圆满的婚姻建立在美好的友谊
基础上。

男女结为夫妻一起生活的话，交往前最好彼此能成为好友。因为起初双方因爱情走到一起，但婚姻生活很漫长，久而久之，那些激情会渐渐趋于平淡。这时如彼此间没有萌生友情，那关系就会越处越糟。如果把婚姻比作蛋糕，那友情便是蛋糕体，爱情则是草莓和奶油。只有蛋糕体的蛋糕尽管味道平淡，但只有装饰的话，蛋糕便不再是蛋糕。

095

手挽手漫步的老夫妇才是最美的风景。

无论是初恋、唯美的爱情，还是命中注定的婚姻、擦肩而过的爱恋，所有男女羁绊中，手挽手漫步的老夫妇才是最美的风景。这种美，既不是钻石的闪耀，也不是名车的奢华，它是两个人细心打磨、相互支撑的美。

096

爱，从身边做起。

希望世界和平的寄托是美好的，去困难地区做志愿者也是美好的，为了爱与和平，无私奉献的精神是伟大的。可即便如此，千万不能忘记爱要从家人、朋友等身边人事物做起，把爱给予最亲近的人，再把那份爱投入社会乃至世界。这样的爱是发自初衷的爱，不是吗？如果不好好爱身边的人，何来爱奉献给世界？

097

原谅的力量。

我们不仅会遇到不讲理的事，还会碰见明明没做错却被猛烈攻击的情况。这些事给我们造成难以忘怀的伤痛，但我们没法控制别人。这时，通常会有三条路摆在我们面前，分别是憎恨、反击、原谅。虽然三条路都无法治愈伤痕，也没法解决问题，但不会阻碍前行的路唯有原谅这一条。为了向前走，请选择原谅吧！

098

自己的船自己划。

就算与家人相伴，就算身为公司组织的一员，世上每个人都拥有一条自己的船，每天都在独自向前划行。假如寄希望于"谁来帮我划一下"，并撒手不管坐等支援，那你的船只会随波逐流。要记住的是，这艘船只属于你。如果把船拱手让给公司，就等同于放弃了人生的乐趣。即便有人用船拉你，最后你们很有可能连同这条船一起沉没。我们还是管好各自的小船，一同前进，这样的独立精神不可或缺。

099

为了不忘怀。

记忆是世人活过的最佳证据。仔细想想，给他人带来了多少的益处、有没有帮助别人、有没有让人感动不已。不管多么美味的料理、多么灵光的窍门，如果不与人分享，都会无比寂寞。劳动创造时，思考事情时，都请扪心自问："这个能给人带来用处吗？"以此出发做出的行动，相信总有一天会印刻在世人的记忆里。

100

重视漂亮话，以此激励自己的前行。

"那只是漂亮话，现实并非如此。"有时我们会这样想，有时我们会这样说。虽然心知肚明，但漂亮话依然重要，因为它是完美的理想、美好的希望。无论是无法立即实现的梦想，还是难以攻克的课题，都可以把它们写在纸上。唯有这样，那些漂亮话才能被赋予实体，激励我们前行，直到有一天漂亮话变成现实。若只将"漂亮话"停留在唇间，那便意味着你只说不做，正在宣告"放弃"。

图书在版编目（CIP）数据

新 100 个基本：自我更新指南 /（日）松浦弥太郎著；冷婷译 .—北京：九州出版社，2017.6（2018.12 重印）

ISBN 978-7-5108-5583-2

Ⅰ .①新… Ⅱ .①松… ②冷… Ⅲ .①人生哲学 – 通俗读物 Ⅳ .① B821–49

中国版本图书馆 CIP 数据核字（2017）第 162561 号

版权合同登记号 图字：01-2017-4224

新 100 个基本：自我更新指南

作　　者　（日）松浦弥太郎 著　冷婷 译
出版发行　九州出版社
地　　址　北京市西城区阜外大街甲 35 号（100037）
发行电话　（010）68992190/3/5/6
网　　址　www.jiuzhoupress.com
电子信箱　jiuzhou@jiuzhoupress.com
印　　刷　河北鹏润印刷有限公司
开　　本　787 毫米 ×1092 毫米　32 开
印　　张　13.5
字　　数　100 千字
版　　次　2017 年 11 月第 1 版
印　　次　2018 年 12 月第 8 次印刷
书　　号　ISBN 978-7-5108-5583-2
定　　价　48.00 元

1780788aa

201788aa

201488

做好书